W9-AWN-322

★この作品はフィクションです。実在の人物・
団体・事件などには、いっさい関係ありません。

鋼の錬金術師

FULLMETAL ALCHEMIST

6

荒川弘

あらかわひろむ

□アルフォンス・エルリック

Alphonse Elric

□エドワード・エルリック

Edward Elric

□アレックス・ルイ・アームストロング

Alex Louis Armstrong

□ロイ・マスタング

Roy Mustang

OUTLINE
FULLMETAL ALCHEMIST

エドワードとアルフォンスの兄弟は、
幼き日に喪った母を錬金術により蘇らせようと試みる。
しかし、錬成は失敗しエドワードは
左足と弟のアルフォンスを失ってしまう。
なんとか自分の右腕を代償にアルフォンスの魂を練成し、
鎧に定着させる事に成功するが
その代償はあまりにも高すぎた。
そして兄弟はすべてを取り戻す事を誓うのだった…。

鋼の錬金術師
FULLMETAL ALCHEMIST

CHARACTER
FULLMETAL ALCHEMIST

ウィンリィ・ロックベル

Winry Rockbell

イズミ・カーティス

Izumi Curtis

グラトニー

Gluttony

ラスト

Lust

ピナコ・ロックベル

Pinako Rockbell

エンヴィー

Envy

CONTENTS

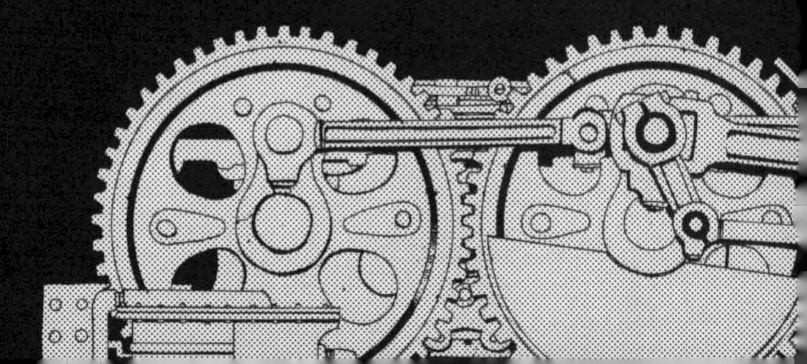

第22話 仮面の男

あいつら大丈夫かね

「経験に勝る知識無し」ってね

錬金術の基礎にして肝の部分を身心に叩き込むにはあの方法が一番いいのよ

これで何も学べなかったらしょせんはそこまでの才能だって事

弟子入りはすっぱりあきらめてもらうだけね

あいよ
俺が心配してんのはあいつらの命の方だが
びっ
すっ

私の修業の時なんてブリッグズ山に1か月放り込まれたわよ
おまえと一般人を一緒にするな

それに比べりゃ天国天国
しかしなぁやっぱりあんな小さい子を…
死にゃしないわよ！
南部は凍死の心配も無いし食料も豊富だし
それに島は命取られるような猛獣もいないしね
MEAT

う
わああああああ
オオオオオ

コオン

パラ…

ひ…

ぱんっ

ふんっ

あっ…

あっ でっ いでっ!!

ズデン

ちち…

ぐっ

!

ふ
あ
や…ば…
逃げられな……
ガク!
こつ
い?
!?
スカッ
あだだだだ!!
!
痛いけどたすかったぁ!!

！

はっ
はっ
はっ…
はっ!?
アル…

なんだよぉ
迷子になってんじゃねぇよう…
アル〜〜〜
!?

ズン!!
ふしーー
ふしーー

わーー!!
オレ
食っても
美味くない
ぞーー!!
ぎゃーー!!
兄さん
ボクだよ!

アル!?
よかった
はぐれたかと…
しっ!

なんだったの
あの人!!
怖っ!!
めっちゃ
怖っっ!!

ビシッ
キー
やった――!!

食料ゲット!!
てきとーな罠でも捕まるもんだなぁ!
キーキー

――で
どうやって食べるのこれ
んー～…
むー むー
スパッと!
スパッと?
ごくり…
うるうる
うるうる うるうる うるうる

……やっぱおまえやれ
やだよ！兄さんがやってよ!!
ぐい
ボク動物を殺した事無いもん!!
オレだって無えよ!!
ぎゃわ
ぎゃわ
いつも面倒な事はボクに押しつけて!!
ぎゃわ
ぎゃわ
なにをーっ!?
ザザザッ

あーーー!!!
待てーーーっ!!
どどどど

めし～～～
どこ行った～～～
はーひー
ぜーはー
兄さん！

あ……
子供がいたんだ…

母親(ははおや)…かな

…うん

ごき
ぐちょ
げちょ
ばくばく
ばくばく

………

うぷ

肉(にく)はやめて
魚(さかな)にしよう…

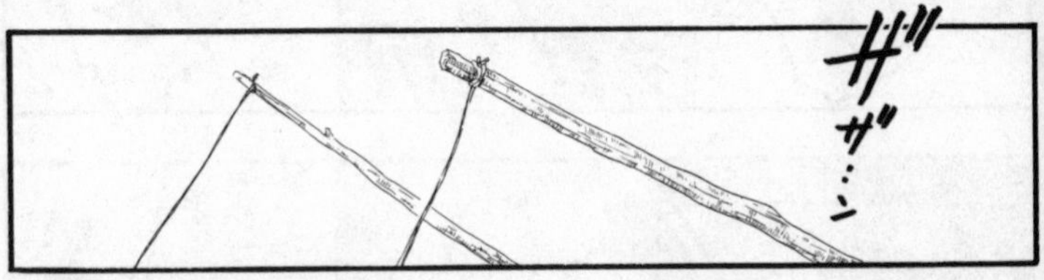

…キツネって
食えるのかな
るるるる
るるる
ぐぎゅ
おちつけよ
ふふ…
ビ——ッ
あっ!!

来た——ッ!!
火——ッ!!
ドギャア
アア
アア
アア
ぶぶ
めし——ッ!!

いただきま——
ズン

ゴフーーッ

出たーーッ!!!

ボキーン
ガッ!!
あ…
ドッ
がはっ
ドサッ
アル!!

てめッ
よくも!!

ガ!!
俺の島だ
くっちゃくっちゃ
出て行け!!

ここを…
出てったら…………
修業がダメに…
くっ…
なっちまう
………!!

ぐい!!
!!

ちくしょう…
ちくしょう
ちくしょ…
う…
ガクン

あーいて…
あの野郎…
ジャ
くそ!
減りすぎて
腹も鳴らねーや
ジャ
ジャ

〜〜〜〜〜っ!!
ばしゃばしゃ

ぜってーあきらめねーぞ!
ざばざば
あと28日!!
ガツ!

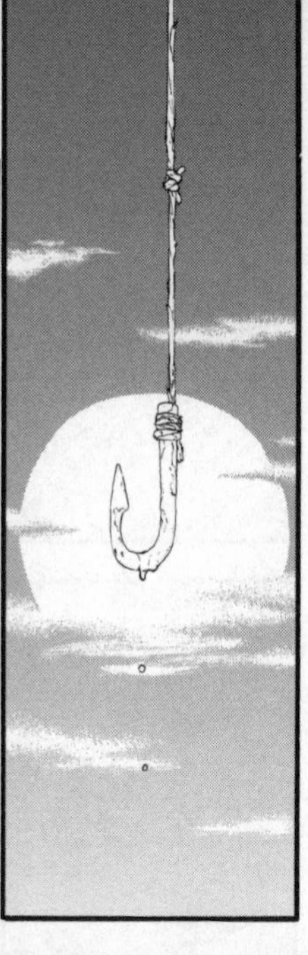

なぁ…

オレたち
ここに何しに
来てんだっけ…
……さぁ

カリ
カリ
カリ
ばっ
キ
…………ッ!!

……
オレたち
ここで死んだら
どうなるんだろ
いやだよ…
ウィンリィや
ばっちゃんが
悲しむ
ボクだって
まだまだ
やりたい事が
ある…

こんなの…
錬金術と
なんの関係が
あるんだよ!!

もういやだ!!
帰りたいよぉ!!
バシャ

立て!
闘え!
ごほっ ごほ…
闘えぬなら出て行け!!

ばしゃ

ミンミンミン
ジー…
ミン
ミン
ミン
ジー…

立て
……うっさい

闘え
……殺したきゃ殺せ
死ぬのか？
……ない

ばく
ばく
ひっ…
ぐずぐず
ひっ…
ばくっ
ずずっ
ぐすっ
ひっ…
もしゃ
もしゃ

うん
みんなが悲しむって

えーと…
それは主観で
あってだな

客観的に見りゃ
オレが死んでも
この世界は
何事も無かったように
回り続けるんだよ

ちっぽけな
存在だね

ちっさい
言うな!!

ボコッ

あだっ!!

でもその植物は草食動物を育て

草食動物は肉食動物を……って

ボクらの意識しない所でも当たり前に循環しているんだ

キーキー

ごめんな

!
ド
ゴオン
おっと

なろっ!!
ドッ
カッ
あっ!!
オーライ!

目に見えない
大きな流れ――

それを
「世界」と言うのか
「宇宙」と言うのか
わかんないけど

オレもアルも
その大きい流れの中の
ほんの小さなひとつ

全の中の一

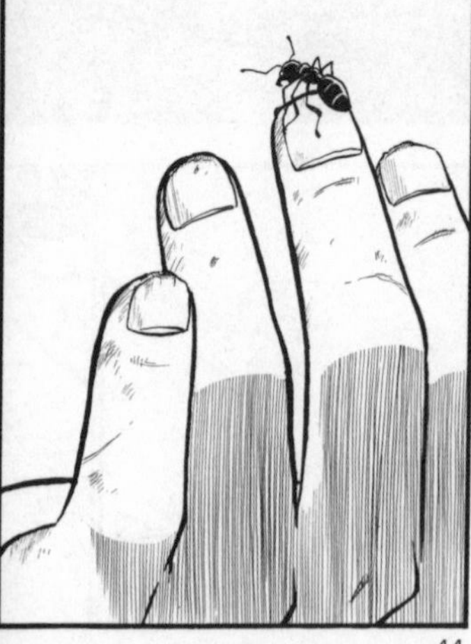

だけど
その一が集まって
全が存在する

この世は
想像もつかない
大きな法則に従って
流れている

その流れを知り
分解して再構築する…

それが
錬金術

ズー

ズ…

約束の日だ

「一は全 全は一」の答えをきこう

どーん
「全」は世界！
「一」はオレ！

ふんッ

ぶっ

あはははははははは

よろしい
本修業に移ろう
…っしゃ!!

バシャ
バシャ
バシャ

どっか

…………
…は？
そいつ
肉屋の
従業員

あっはっはー
1か月も
よく
耐えたねー！
俺
メイスンっての
よろしくねー
どう？
いい演技
してたでしょ
俺
HAHAHA HAH
AHAHAHA
ぶん
ぶん

しかしあれだね
君ら死にそうになった
時はヒヤヒヤしたね
ああ 闘ってる時は
もちろん手加減してたよ
でもそれってけっこー
むずかしいんだよねー
べら
べら
べら
べら
べら
べら
そうそう、これ
店から持ち出して
来ちゃったんだけど
べら
べら
べら
べら
……
万が一
死なれちゃ
困るから
見張りにね

だったら
なんで
攻撃させるん
ですかーっ!!
馬鹿たれ！
人の一生は
短いのに
1か月もムダに
できるか！

精神を鍛えるにはまず肉体から！
はは…
精神も肉体も一度に鍛えられてお得な1か月だったでしょ！
これから正式な師匠としてびしびし教えるからね
覚悟しなさい

へっ！
この島で死線をさまよったのに比べりゃどんな事だって天国だぜ！
もう怖い物なんて無えよ!!

ごはっ
うらけんッ!!
師匠には敬語をつかう！
ガクガクガクガク
じょー
ぷかー…
死線越えました。

FULLMETAL
ALCHEMIST

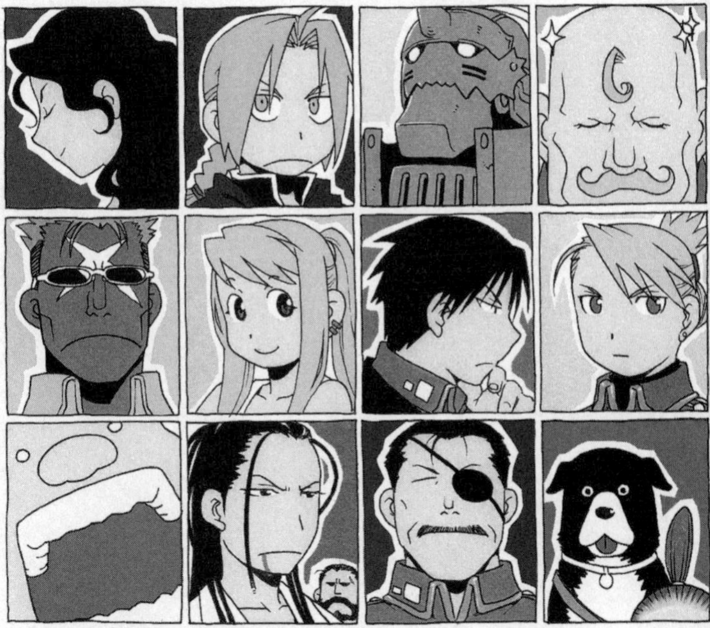

第23話
叩け 天国の扉

嫁さん
ラヴ

リゼンブール〜〜

リゼンブール
だぁよっと

バタ
バタ
バタ
バタ
バタ

駅長さん
こんにちはっ!
ただいま!
バタ
バタッ
うおわっ!?

あれー?
おまえら
ダブリスに
行ってたんじゃ
なかったか?
うん!
修業
終わったんだ!

早えなぁ
リゼンブールを
出てから
半年しか
経ってないだろ
1,2,3…
追ん出され
たんじゃ
ないだろうね

それにしても
まぁ…

ちょっと見ない間にたくましくなって

あきれた！
電話もしないでいきなり帰って来て「めし！」だもん
しょうがねーだろ
腹減るもんは減るんだから
そうさね
元気そうでなによりさ
ひとまわりたくましくなった様だし
よだれ

身長もずいぶん伸びたんじゃないかい？
あはは
え？そお？やっぱそう思う？
ははははははは
で
どんな修業だったの？
はははははは
はは

キャン!!

ガク
ガク
ガクガク
ガクガク
ガク
ガク
ハラ
ハラ
…言いたくないなら無理して言わなくてもいいわ
うん
ようう!
帰って来たって?
おう久しぶり!
さっき帰って来たって聞いてさ…
ピナコ先生こんちわ
うちの父ちゃんが連れて来いって言うから
何?なんかくれんの?
ちがうちがう
羊小屋直してくれって
うひゃー派手に壊れたねぇ
この前の大風でぼっきりとなー

錬金術でなんとかなんねーかな
ああ無理しなくていいんだよ
いつも小さい物は直してもらってたけど…
ザリザリ
こんな大きいのはやってもらった事ないものねぇ

柱だけでも直ればもうけもんだよな
ねぇ
せーの

どう？

……………
よろしいんじゃ
ないでしょうか……

すんげー!!
修業の成果って
やつ!?

前より断然
すげ——!!

えへん
えへん

もう
師匠を
超えたんじゃ
ない？

冗談!!

うちの師匠は
錬成陣無しで
両手ポン！で
やっちゃうからね

人間技じゃ
ねーよ

二人とも
それは
できないのか？

力の流れと法則を知る事で……

あらゆる事に対応できる！

たしっ

たし

Easy Cooking

えいっ

つまり

あっ

相手の力の流れを知り
それを利用して
相手に返す

ド

ゴン
あう
体感するのが一番いい
にっこり
ぽーん
NO—!!

流れを
受け入れて
理解した上で
創造する者…

ペ
た

それが
錬金術師
ぽん
ぽん

世の中は常に
大きな流れに
したがって
流れている
人が死ぬのも
生まれるのも
その流れのうち

だから
人を生き返らせよう
なんて事は
してはいけない

…そろそろ昼ごはんの時間だね
今日は何にしようかな
午後から地獄の特訓メニューBプランだから高カロリーな物を…
ゔぇー!!?

ぽーーん
口ごたえしない
ZO
!!
食事の仕度ができるまでさっさと復習をしておきなさい
うへ〜〜〜い
えーと力の循環と構築式と…
でも師匠は手のひらを合わせただけで錬成してましたよね
うんうん

両手で輪を作るのが円を表してるってのはわかるんですけど
構築式はどこに？
私自身が構築式みたいなものかな
？

さっぱりわかんねー
どうやったらできるんですか？

……真理にたどり着けばできるようになるかもね
真理か……

うーん…
たしっ

ぺた
しーーーーーーん
できねーーーっ!!
ぼて

結局真理ってやつ教えてくれなかったもんなぁ!!
ムカ
プリプリ
そりゃあれだよ兄さん
地道に研究を続けて自分の力で真理にたどり着けって事だよ

地道にか…
よっし!もう一回人体錬成の理論を組み立てるぞ!

…早く母さんに会いたいな
うん

THE CONCLUSION OF A CIVILWAR
THE CONCLUSION

カリ
カリカリ
カリカリ
カリ
カリカリ
カリカリ

カッ

——できた!

ギャアッ

ギャアッ

ギャアッ

水35ℓ
炭素20kg
アンモニア4ℓ
石灰1.5kg

リン800g
塩分250g
硝石100g

SILICON

イオウ80g
フッ素7.5g
鉄5g
ケイ素3g…

ボコ
あちちっ
気をつけろよ!
母さんの元になるんだから
えへへ
母さんに会ったら最初になんて言おう
決まってんだろ

「師匠にはだまっといて」だ!
あはは!

大人一人分の身体を構成する元素……
カリカリ
構築式…

そして…
いてっ

魂の情報……

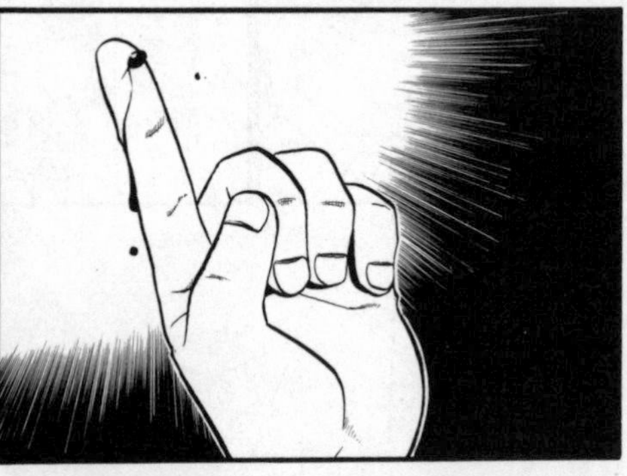

いくぞアル
うん

わくわく
わくわ……
…………
……え?

兄さん なんか変だよ …………
パキ

オオ
オオ
オ
オオ

アル!!
バキ

リバウンドだ!!

バキ
バキ
バキ

兄さん
兄さん
兄さ
アルーーッ!!

ドッン
Cheter
Ehieh
Pater
Corona Radix Arboris Sephi
Ie
ho
Hochma
Iah
filius
Sephirot 2
Sephiroth 3
Binah
Elohim
Chesed
El
Pater
Seph 4
Elohim
gibor
filius
Sephiroth 6
Eloah
Sephiroth 7
Netzeth
Hod
Elohim
Sabaoth
Adonai

あれ…
オレ
何(なに)してたん
だっけ…
………アル?
アル
おーい
よぉ
びく

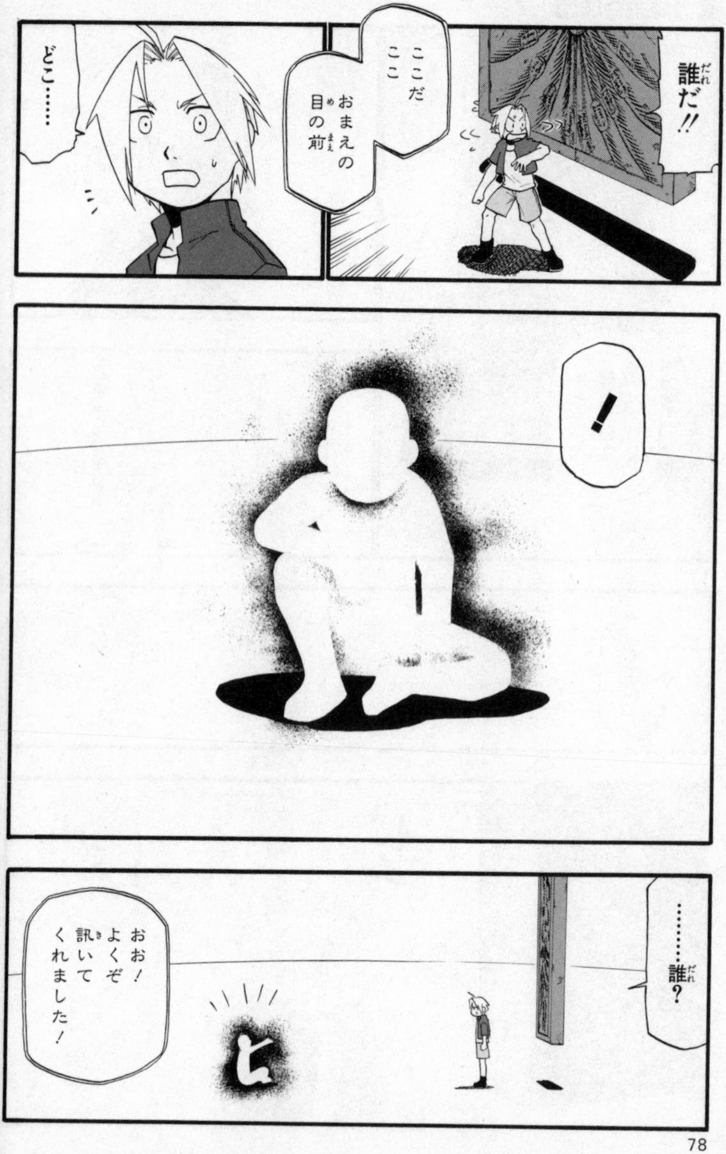

誰だ!!
ここだ
ここ
おまえの
目の前
どこ……

！

……誰？
おお！
よくぞ
訊いて
くれました！

オレはおまえ達が〝世界〟と呼ぶ存在

あるいは〝宇宙〟

あるいは〝神〟

あるいは〝真理〟

あるいは〝全〟

あるいは〝一〟

そして

オレは〝おまえ〟だ

ゴゴゴゴ
ようこそ 身の程知らずのバカ野郎
ゴゴゴゴ

あああああああああああ

ギギギギギ

ギギギギギ

真理を見せてやるよ

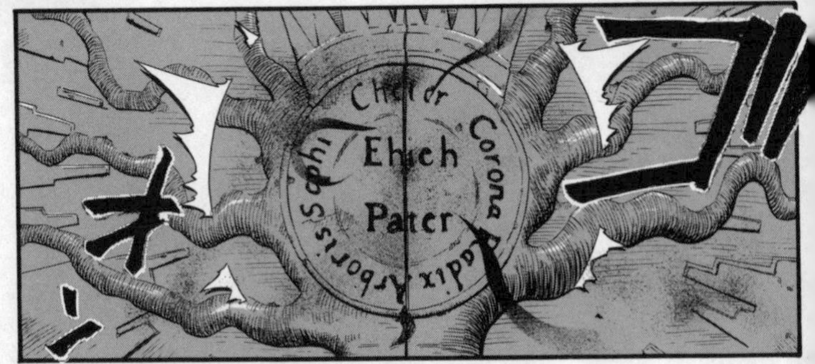

なんだこれは!!!

ドドドド

やめろ!!

頭が割れる!!

ドド

分解される!!

ドドドド

いやだ!

やめてくれ!!

ドドドド

や……

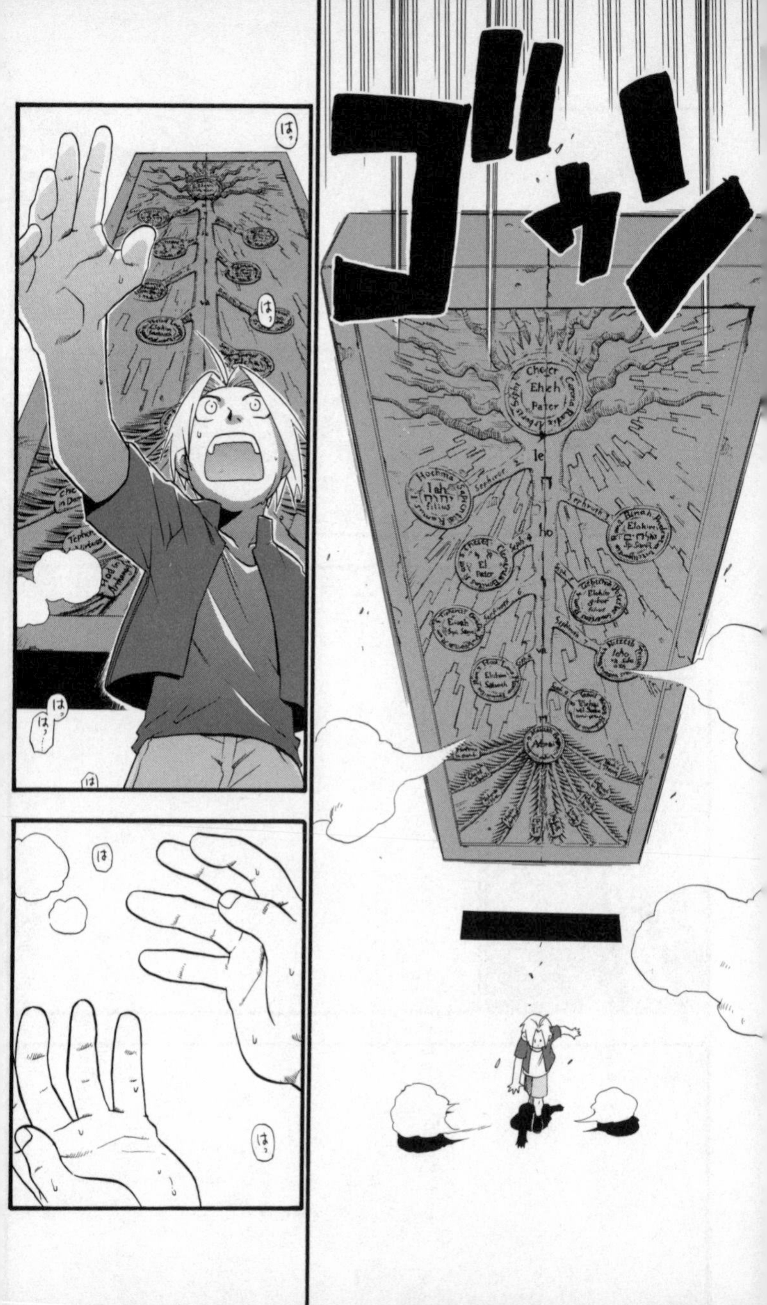

ゴゥン
はっ
はっ
はっ
はっ…
は
は
はっ

………ものすごい量の情報を脳に直接ぶち込まれたみたいで……
頭がガンガンする……

だけど唐突に理解した

これが……真理…！

そうだ…
オレの人体錬成理論は間違っちゃいなかった
でも足りない………!!

もう少し!!
もう少し先にオレの求めているものが!
人体錬成の真理があった!

おねがいだ!もう一度見せてくれ!
もう一度…
ダメだね

これだけの通行料だとここまでしか見せられない
通行料!?

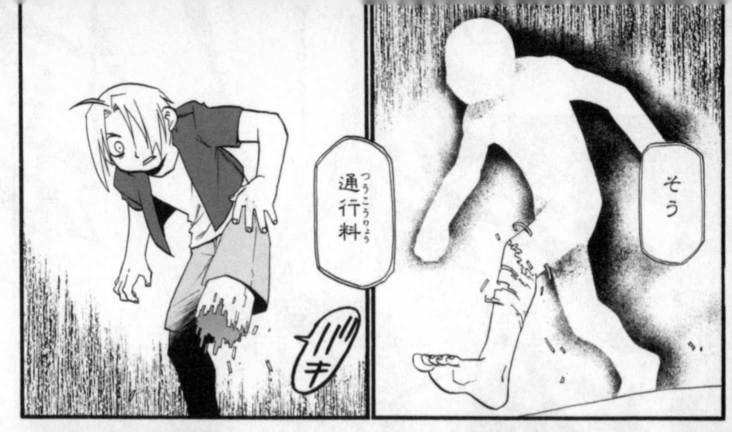
そう
通行料
バキ

等価交換、だろ?

なぁ
錬金術師
ドクン

あ
ああああああ
ああああ
…アル！アル！アルフォンス!!
くそ！こんな事があってたまるか！

こんな…
こんなはずじゃ…
ズ
ヅ
畜生ォ…
持って行かれた
………!!
助けて…
誰か…
母さん…!!

母……
ヒュー…
ヒュー…

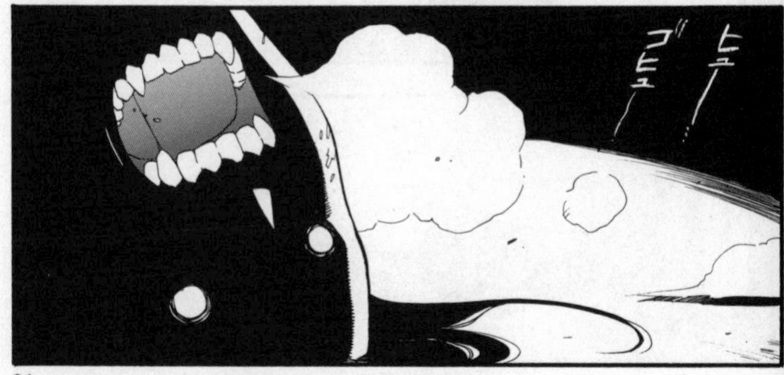
ヒュー…
ゴヒュー

ドン
あ……

バシッ

ヒュー
ヒュー

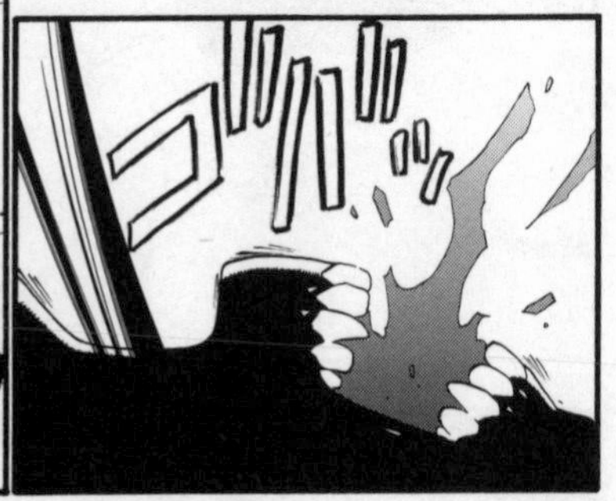
ゴバ

うそだ…
ちがう…
こんなの……

う……
がっ　は
ごほ　ごほっ

ちがう…
はー
はー
はー
こんなのを望んだんじゃない……
アル…
オレのせいだ
オレの…
ぎりっ

ギッ
ガシャ

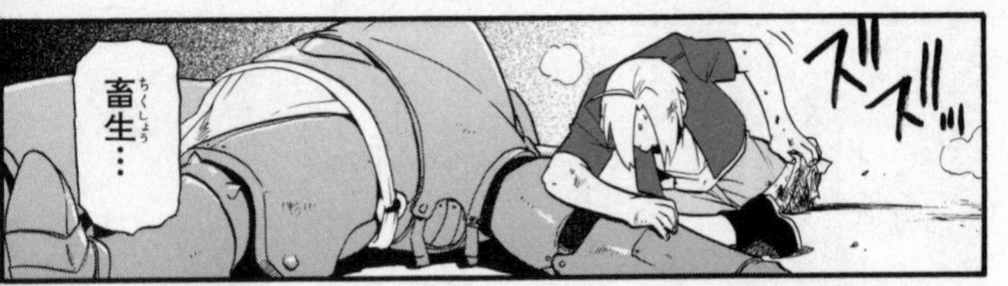

足だろうが！
両腕だろうが！

…心臓だろうがくれてやる
だから!!
返せよ!!
たった一人の弟なんだよ!!

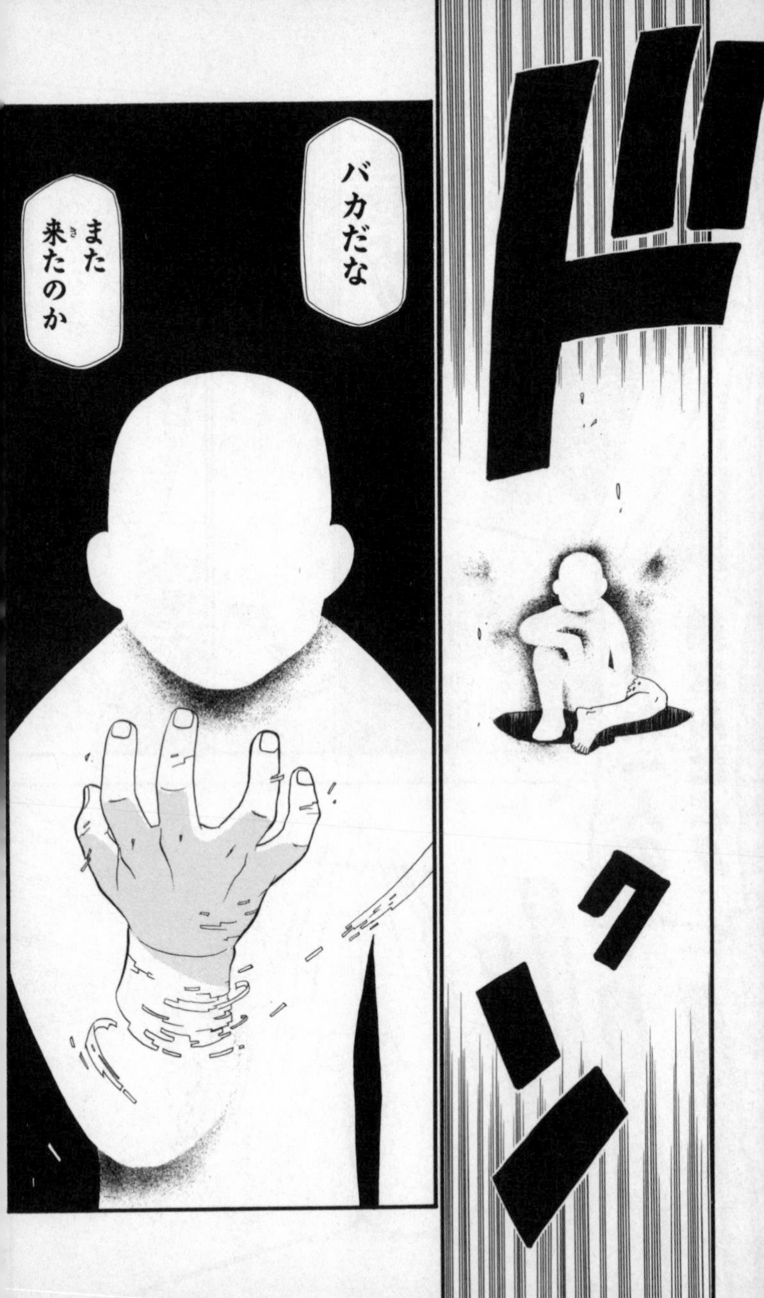
ドクン
バカだな
また来たのか

い――

FULLMETAL
ALCHEMIST

ガラ ガラ ガラ ガラ
で
エルリック家になんのご用で？
マスタング中佐
ガタ ガタ
ガタ ガタ

リゼンブールに錬金術に長ける兄弟がいると聞いて勧誘に来た
ガタ ガタン
ああ 国家錬金術師に！ そりゃすごい

しかし東方司令部の中佐さんがなんでまた…
憲兵さんこんちわ～
有能な術師を見極めて推薦をするのも私の仕事だ

実は内乱のせいで人手不足というだけなのだが
ほっほっほ
軍のお偉いさんが迎えに来るなんて
エルリックのちびどももおったまげるでしょうよ
ほっほっほっ

ガタ
ガタ
…………
…………
…………
ちびども？
へぇ
ガタ
ガタ

ガサ
リゼンブール村エドワード・エルリック31歳……
いえそいつ11歳
弟はひとつ下

………
ほっほっほっ
会うだけ
会ってみたら
ええじゃないですか
コンコン
コンコン
留守か？
わし
裏
見て来ますわ
コツ
コツ
コツ…

第24話 鋼の錬金術師

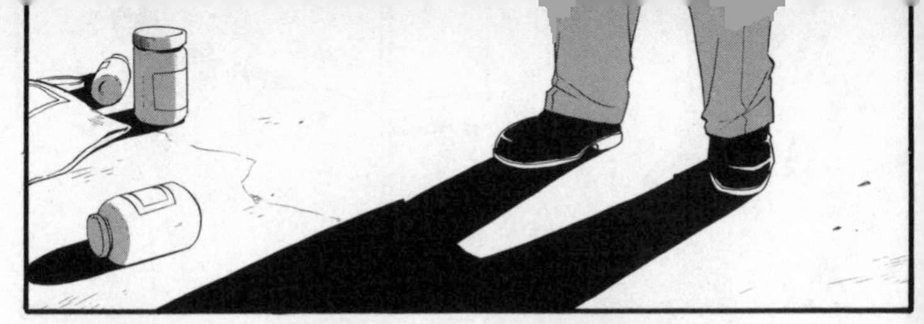

へ？
エルリック兄弟とやらはどこだ！
へ…へぇ 家にいないって事はロックベルさん家かと…
わう わう わうっ
ドンドン
ドンドン
わうわうぅっ

うるさいよ
デン
お客さんには…
キィ…
失礼
ロックベルさん
ズカズカッ

軍人が
いきなり
なんだい!!
すみません
エルリック兄弟が
ここにいると
聞きましたので
キ…
!

君達の家に
行ったぞ
なんだ
あの有様は!!
何を
作った!!

ごめんなさい
許してください
う…

ごめんなさい
ごめんなさい

高額な研究費の支給
特殊文献の閲覧……
う…

国の研究機関
その他 施設の利用
など…
国家錬金術師に
なれば
様々な特権が
得られます
その代わり
軍の要請には
絶対服従の身に
なる訳ですが
一般人では
手の届かぬ
研究が可能に
なるのです
この子達が
元の身体に
戻る方法も
あるいは…

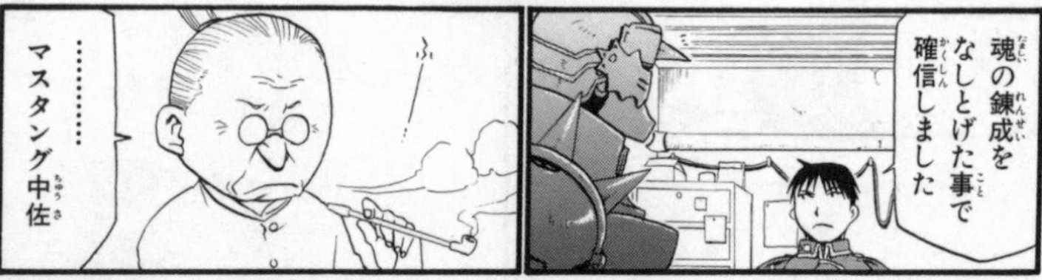

この子が血まみれで転がり込んで来た後にね

あたしはこの子の家に行ったのさ

あれは…家の裏に埋葬したよ

あれは…

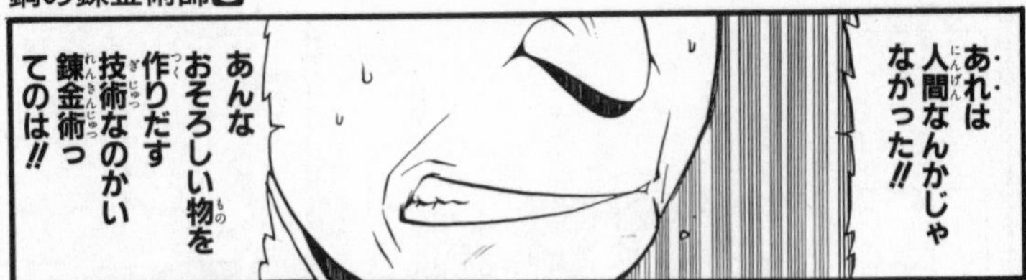

あんたは!!

またこの子らをそっちの道に引きずり込もうってのかい!!

あら
ありがとう
すとん
……………
あの…
少尉さん…
ああ
リザでいいわ
リザ・ホークアイ
よろしくね
リザさんは…
人を撃った事が
あるの？
？

軍人さんは嫌い

父さんも母さんも戦場に連れて行かれて殺されたから

その上あのマスタングとか言う人はエドとアルも連れて行こうとするんだもの

あいつらが軍属になるなんていや………

連れて行かないで…

軍人が連れて行くんじゃないわ
あの子達が自分の意思で決める事だもの

正直私も軍人は好きじゃないわね
場合によっては人の命を奪わなければならないもの
じゃあどうして軍にいるの？

守るべき人がいるから

ロックベルさん
私はこの子達に強制している訳ではありません

でも
それは
誰に強制された
訳でもない
私が決めた事

ただ私は
可能性を
提示する!

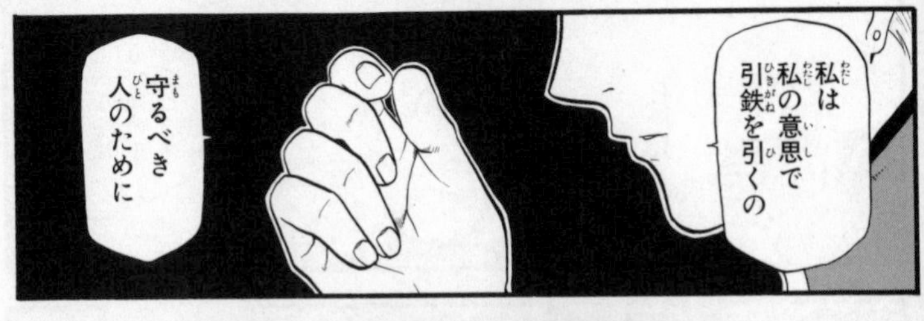
私は
私の意思で
引鉄を引くの
守るべき
人のために

このまま
鎧の弟と
絶望と共に
一生を終えるか!
元に戻る
可能性を求めて
軍に頭を
垂れるか!

その人が
目的を果たす
その日まで
迷う事無く
引鉄を引くわ

──決めるのは
君達だ

あの子達にも
強い意思が
あるのならば
自分で決めて
進むでしょう

たとえそれが
泥の河で
あったとしても

今日は
これで
失礼する

その気になったら
イーストシティの
司令部に
来るといい
力に
なれるだろう

帰るぞ
はい

じゃあ
さよならね
お嬢さん
あっ…

ウィンリィ
……です

そう
ウィンリィ
ちゃん

また会えるといいわね
ガラ ガラ ガラ ガラ ガラ ガラ ガ
来るでしょうか あの子達
来るさ
たいそうな自信ですね あのエドって子 再起不能の様な目をしてましたけど
ガラ ガラ ガラ ガラ ガラ ガラ
そうかね?
あれは――
焔の点いた眼だ

手術とリハビリでどれ位かかる？

まともに動ける様になるまで三年ってとこかね

一年だ！

アル
もう少しがまんしてくれな

オレが元の身体に戻してやる

うん
その時は兄さんの身体も一緒にだよ

パパパ
パパ
ドッッ

ふー…
チリ チリ
ぎっ
うっし!

こらーー!!
がぱん

何やってんのよ!! あたしの機械鎧が壊れるでしょー!!
おおお…
オレは壊れてもいいのかよ…

ぎゃす
ぎゃす
かわいくない!!
色気がない!!
この機械オタ!!
ギャー
かわいげも
色気も無くて
けっこう!!
ギャー
ぎゃー
あんたが
元の身体に
戻るまで!
あたしが
サポートするって
決めたから!
あたしの言う事
きかないと
またスパナ
だからね!
うえ〜〜〜〜
青春だねぇ
何?
いやいや
もう身体は
完璧だね
おう!
これで錬金術
使えなくなってたら
笑えるけどな
ははは
あれ以来
使ってなかった
からなぁ…
そっか
僕の魂の時
以来か

緊張するな~~~……
す……
ぱし
バシィ

おー!バッチリバッチリ
す……
すごいよ兄さん!!
へ?
師匠と同じ事ができる様になったんだね!!

……アルもできるだろ?
できないよー!さすが兄さんだ!!
あ・れを見なかったのか?
あ・れって?

……いや
なんでも……………ない
こらーー!!
べしっ
あたしの機械鎧を変形させたわねーっっ!!
てめっ…それ反則…
がす
がすっ
がす
早く元に戻しなさい!!
ぎゃ～～…
ザ

よう
中佐

君が
もたもたしてる間に
大佐になって
しまったぞ

覚悟は
できたのかね?
BOW WOW!
なんなら
尻尾も
振ろうか?
ふ
よろしい
ならば
連れて行こう

中央へ!

大総統閣下が試験を見学になられるとはめずらしい

なに12歳の子供が来たと言うのでな

話の種に見ておこうではないか

カツ カツ カツ

しかし無謀なガキがいたものですな

カツ カツ

かまわんよ 我が軍に有益な者であれば迎え入れるだけの事だ

ザッ!

ほぉ

………
東部の内乱で

鋼の義手か

ああ
イシュヴァールには
手を焼いたな
うん
カッ
カッ
カッ
さぁ試験を
カッ！

誰？
キング・ブラッドレイ
大総統！
軍事最高
責任者！
ふうん…

緊張しなくていいぞ
落ち着いて

錬成陣を描く道具は持ってるか?
いらないよそんなもん

ズ
ズ
ズ
ズ
ズ
ズ
ズ
ズ

これはなかなか…

!!
閣下!!

ビタッ

――っていう風に
要人暗殺が
あるかも
しれないからさ
この試験方法
見直した方が
いいんじゃない?

ふむ
そうだな
検討しておこう
この無礼者めが!!
不合格だ
不合格!!
やベ!!
やりすぎた!?

勝手に決めるな
はっ…
筆記試験精神鑑定ともに問題無しなのだろう?
実技にいたっては見ての通り
そして何より…

胆が座っておる

ただ世界の広さを知らぬ
?
ピシッ

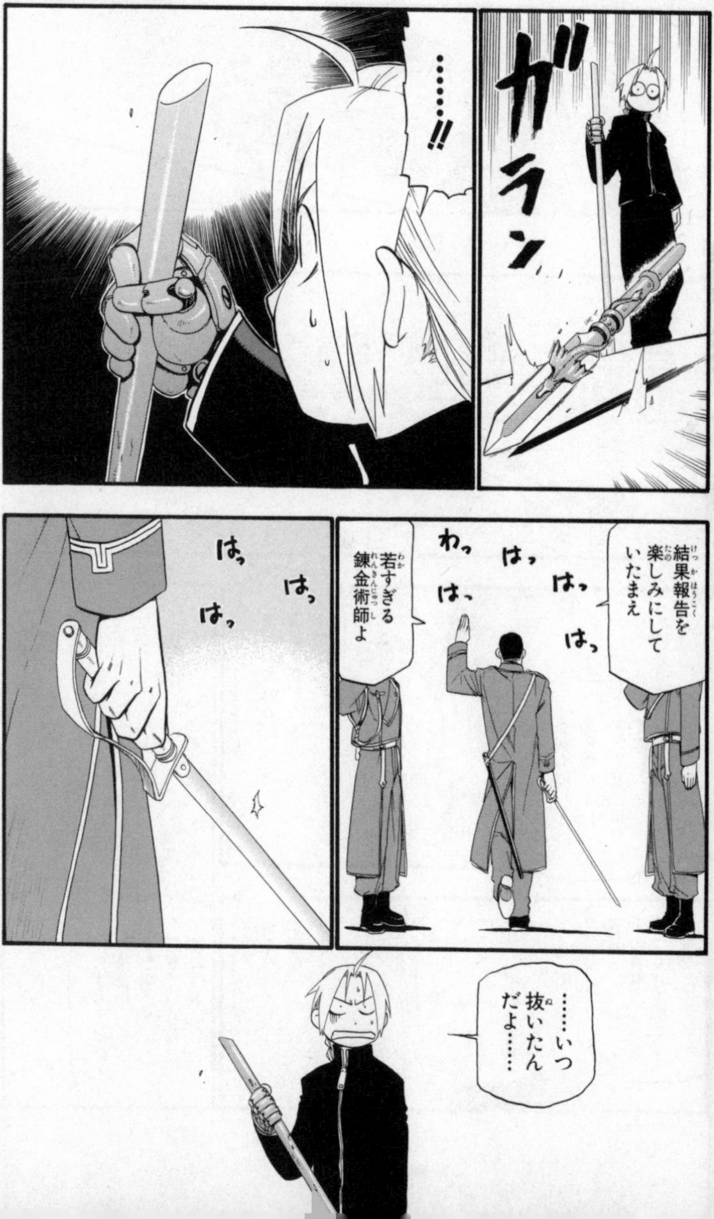

ガラン

……!!

うるせーや
見物料取るぞ

はっはっは
いたずらとはいえ
大総統に
刃を向けて
無事でいられた
君は運がいい

資格が取れれば
君は軍属になる
身だ

大総統に対する
忠誠心無しと
見られれば
あっと言う間に
資格を
剥奪されるぞ

気をつける
事だな

ああ
その言葉
そっくりそのまま
返すぜ

オレがあのおっさんに槍を向けた時…
大佐だけだったぜ微動だにしなかったの

とても忠誠心厚い部下とは思えねーな
……まいったな
大佐……そういう時はポーズだけでもとるものです

うん君があの時閣下を亡き者にしてくれていたら上の席がひとつ空いたのにな
おいおいおい!!
でもいい事聞いちゃったなー上層部にチクってやろっかなー♪
はははははははは
鬼の首でも取ったつもりかね

君の弟はめずらしい錬成の例として研究室送りになるかもな

わかるかね？ 君は過去を隠し何事も無かった様に資格を受け取る

私は有能な錬金術師を推挙した事で株が上がる

私が君の過去を口外しなければ全て丸くおさまるという訳だ
変な気をおこすなよ
てんめーっっ!!!
はっはっは合格発表まで一週間ある
イーストシティに戻ったらゆっくりしていたまえ

うむ
12歳の少年には少々厳い名だがじきになじむであろう

これが国家資格の証である銀時計

拝命証と細かい規約はこれだ

読み上げるのは面倒だから内容は自分で確認してくれ
仕事しろよ給料ドロボウ

へぇ…これが拝命証か
えらそーな資格の割にゃペラい紙きれ一枚なんだな
「大総統キング・ブラッドレイの名において汝エドワード・エルリックに銘〝鋼〟を授ける…」
鋼？
そう…国家錬金術師に与えられる二つ名……
君が背負うその名は——

鋼の錬金術師!

いいね
その
重っ苦しい感じ

背負って
やろうじゃねーの!!

ゴオッ

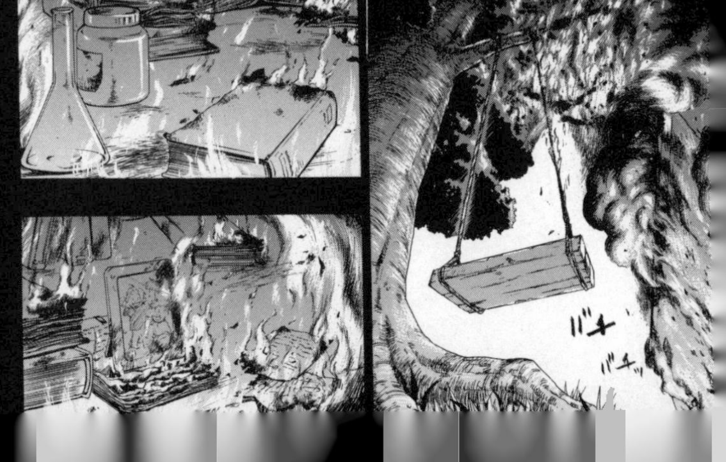

もう後戻りできねーな
うん
なんでおまえが泣くんだよ!
だって だって… だって…
…ったく
昔っから泣き虫なのは変わんねーな
ウィンリィは
ゴオォォォォォォォ

第25話
師弟のけじめ

EAT

ピチョ

ポチャン

……三丁目の通りに………
ふ――……

……カンオケ屋があるから自分のサイズに合ったのを作って来い!!
ベキ
ゴキ
ベキン
ひ――!!

冗談はさて置いて…
ふぅ
あれほど人体錬成はやるなと言ったのに

師弟そろってしょーもない…
やっぱり師匠も…

内臓をね
あちこち持って行かれた

大馬鹿者だよ ほんとに

すいません

ばかたれ!
すいません
おろか者!
はいっ
くそ弟子!
おっしゃる通りで
豆!!
……はい……

……つらかったね

いや…自業自得ですし

つらいとかそういう気持ちは…

無理しなくて
いい

すいません

すいませ……

ごめんなさい

ごめんなさい

天才ってやつかねぇ
そんな!

天才なんかじゃありません
オレはあれを見たから……

いやあれを見て生きて帰って来れただけでも十分に天才とよべるだろう

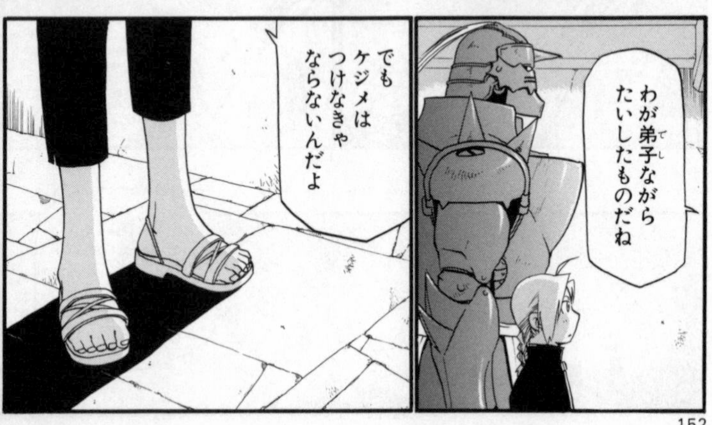
わが弟子ながらたいしたものだね
でもケジメはつけなきゃならないんだよ

破門だ

お世話になりました!

あいつ
一人目の子供を
身籠もった時に
病気をしてな

頑張ったんだけど
産んで
あげられなくて
その時
二度と
子供ができない
身体になって…
一晩中
謝られたよ
あいつは
何も悪く
ないのにな

その時から
人体錬成を
考えてたんだろうなぁ
結果
あのザマだ
気付いて
やれなかった
俺もバカだけどよ

これからはひとりの人間として対等に接するって事だ

何を遠慮する事がある？

ん？

ガレ
がしっ
あ〜〜〜〜
くそ!!

アル!
オレたち
何しに
ダブリスまで
来たんだ!?
……あ!!
シグさん
ボクたち
先に戻ります!
ん
ダッ

STATION
殺されんなよ!
努力
しまーす!
たたたたた
たたた

シャリ
シャ
シャ
シャ
シャ
シャリ
師匠（せんせい）!!

どの面下げて
戻って来た!!

な〜にが
「師匠」だ!
貴様らなんぞ
弟子とは思わん!
とっとと
帰れ!!
お…
おち…
おちつ…
師匠!!
どかっ

ボクたち
元の身体に戻る
手がかりを得に
ここに来たんです!
手ブラでは
帰れません!!

帰れ！

帰りません！

刻むぞ!!
刻まれても帰りません!!
帰れったら帰れ!!
イヤです!!

……あの時と同じ目か
…………ばかたれが

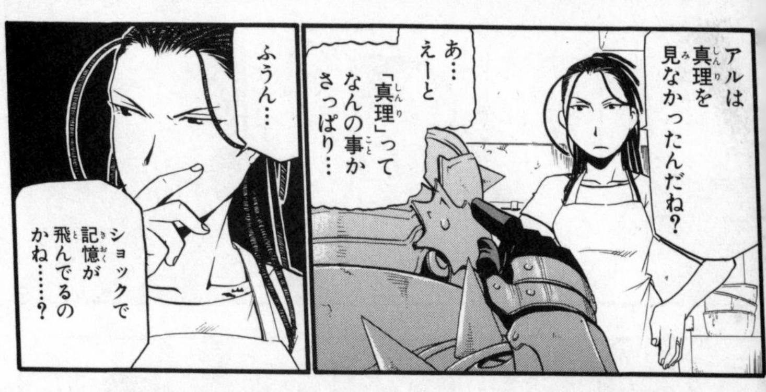

アルは真理を見なかったんだね?
あ…えーと「真理」ってなんの事かさっぱり…
ふうん…
ショックで記憶が飛んでるのかね……?

アルの記憶を戻してみよう
なんせ全身を持って行かれてるから
そうか!
あいつの言ってた「通行料」の量で言うならアルは真理に一番近い所にいる!!

じゃあ その時の記憶が 戻れば!!
しかし あれの 記憶かぁ…
あれ・・ ねぇ……
え… 何か やばい?
やばいって 言うか… スゴイ?
こんなん?
うん なんか スゴイ
こんなん。
抽象的 すぎて わかんないヨ

その前に

おなかすいてるでしょ

ご飯にしよう
手伝いな

方法がみつかるまで帰る気は無いんでしょ?

ほらっ
いつまで座ってんの!

はっ
はいっ!!

ありがとうございます!!

異動命令が
来たよ
COMMANDING GENERAL

君
来週から
中央勤務ね

はい

東方も
寂しくなるね
君
色々と派手
だったから
ぱし
いえいえ
将軍の若い頃
ほどでは

ふっふっふ
わしが青年将校だった頃はそりゃもう……
かたん
あ!!
待った無しですよ将軍

むむ…
君が一所懸命やってくれたおかげでわしも楽ができたよ
かた
私も様々な仕事を任せていただいたおかげで見識が広がりました
将軍には感謝しています
かしゃ

うーむむ…
君の後任にはニューオプティンのハクロ少将が来るらしい
やだなぁあいつお堅いんだもん
かぱん

とうとう負けた!!
最後にやっと勝てました
マスタング君の1勝97敗15引き分け
この1勝は餞別だな
ははは
ありがたく頂戴します
餞別ついでにうちの孫を嫁にもらってってくれんか
未来の大総統夫人に
気が早すぎですよ将軍

そうですね…
餞別ついでとおっしゃるなら中央に連れて行きたい部下がいるのですが

うん いいよ
持ってけ
感謝します

王手!!
あ!!

ぬはははは!!
15連勝!!
ぐあーーっ!!
見事なもんですな
人は見かけによらんとはこの事だ

ふっふっふ用兵ってのはココよココ
デコ?
おや…何事か盛り上がってますな

ほぉめずらしい物を
知ってるか?「ショーギ」ってぇの
東の島国式チェスだ

知ってますよ
[ショーギ]室内遊戯のひとつ。盤上にならべた20枚ずつの駒を交互に動かして相手の王将を詰めた者を勝ちとする。起源は——
はい次次——
おっと!用事があって来たのでした

大佐がお呼びですよ
一緒に来るようにと
?
俺とおまえ?
はい

……と
これでどうだろ

お!つながりました
助かりましたフュリー曹長!!
ふー
感謝であります!

フュリー曹長(そうちょう)!
はいっ
ドドドド…
TRAINING

マスタング大佐(たいさ)がお呼(よ)びだ
乗れ
大佐(たいさ)が?
なんだろ…?

よーっこら
せっ
ドスッ

傷(スカー)の男の死体(したい)出(で)ねぇなぁ
はーあ
出(で)ませんねぇ

ハボック少尉 あとは我々に まかせて 休んでください
俺ら 下っぱより 働いてるじゃ ないですか
そーかぁ？ 悪いな
んじゃ 休ませてもら…
少尉殿！

大佐から です

パーン
ドン
ドン

パン
ガシャ
ドッ
ドッ
おお
やっとるな
リザちゃん

相変わらず
いい腕してるねぇ
まだまだ
ですよ
大佐が
呼んでるぞ

中央行きが
決まったらしい

――はい
ガシャ

さて!
ケイン・フュリー曹長
はいっ
ヴァトー・ファルマン准尉
はっ
ハイマンス・ブレダ少尉
ウス

文句は言わせん！

付いて来い！

ビシッ

Yes sir

……あ
大佐まずいっス問題がひとつ！
何？

俺最近カノジョできたばっかなんス！
きりりっ
別れろ
ズバッ
中央で新しい女をつくれ

付き合い始めたばかりならまだ愛情も薄い
よかったな傷が浅くてすんだぞ！
はっはっはっ
ぽん
ぽん
ぽん

うわ〜〜すっかり遅くなっちゃったな

兄さん本に集中すると時間を忘れるんだもんなー

おまえだってなぁ!

DUBLITH LIBRARY

…っと!近道しよう

急いで帰らないと師匠に怒られちまうよ

たたたたた

がっしゃ がっしゃ

ひ～

お兄さん

そこのお兄さん

あわれなあっしに恵んではくれませんか

ぴた ぴた

ぺた ぺた

だーーっ
うるせぇ
働け

ちょっと
冷てぇんじゃ
ねぇの!?
ぺた ぺた
ぺた ぺた
ねぇ
そっちの
鎧のダンナぁ!!
ごめんね
お金持って
ないんだ

またまたぁ!
国家錬金術師なら
ガッポリ
持ってんでしょ?
ぺた ぺた
ぺた
たたたたたたたたたた
そんな
錬金術師
知らねーよ

ごまかさないで
くだせぇよ
ぺた
ぺた ぺた
お兄さん
一部の界隈じゃ
ちょいと
有名ですよ?

弟の魂を
錬成したってね
ぴた

当たり？
ウザいぞ
てめぇ
そっちの
鎧の人
ニャ
身体が
無いんでしょ？
ニャ

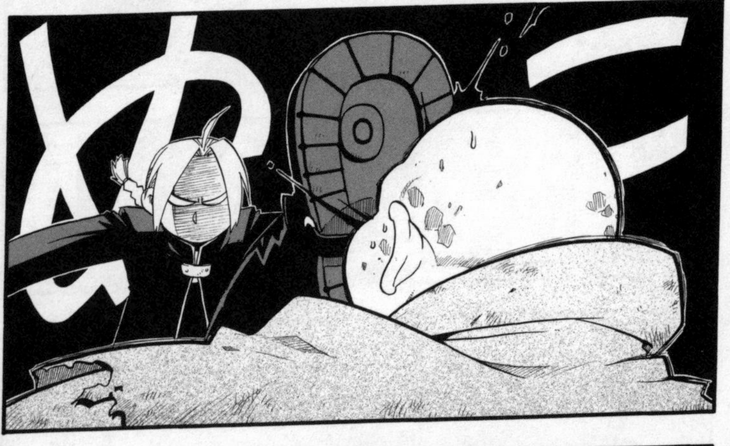
め
こ

ぎゃぶっ!!!
ドスン
行くぞアル

しつこいんだよ てめ――― は―――っっ!!

ギャ

野郎まだ言うか!!
ぽん

ズ
ボオ

おじさん
ズッ

いいかげんにしてよね
ひっ
ズオオオ
オオオオオオ

うぇっへっへ…
わ…悪かったよ
ちょっと大人げ無かっ…

!!
イヤッハア!!
まちがい無ェ!!
魂を錬成した
奴だ!!
ゴッ
ザザザッ

この野郎!!

おっと!!

もう用は無ぇ!!

さいなら!!

逃がすか!!

パン!

でも!!
ベタッ
ベタ
ベタ
ベタ
ベタ
ベタッ
うそ!!
俺もすげぇ!
ビタッ
ベタッ

さいなら〜
ひょいっ

ぼーーぜん
……なにあれ

BAR
CLUB

DEVIL'S NEST
でかしたビドー!
おまえはえらい!!
うえっへっへっへ

わざわざダブリスまで来てくれるとはな
さがす手間がはぶけたぜェ

いかがいたしましょう
急用だっつって来てもらえ

掲載・月刊少年ガンガン平成15年5月号〜8月号

ビッグゲストだ

まちがってでも殺すんじゃねーぞ

鋼の錬金術師6　おわり

ばーーーーん

ようエド！

借金取り立てに来たぜーー!!

※悪いスクリーントーンの例（4巻70ページより）

今年は 海に行けなかったよ

ざーーーん

本体

おまえもか

2巻
6話より

ぎゃあ!!

にゃん……

なごみ

鋼の錬金術師 6
すぺしゃるさんくす〜

高枝 景水 さん
ひのでや 三吉 つぁん
弣 正成 さん
馬場 淳史 さん
あいやーぼーる さん
杉山 りか さん
ポクテ さん
金田一 蓮十郎 先生

担当 下村 裕一 氏

AND YOU!!

マンガばっかり読んでんじゃねーよ!!
勉強しろ勉強!!
マンガばっかり描いてる奴が言うな
くわッ
ごすっ

魂のみで
死ぬ事の無い
身体ってのは
どんな気分だ?

は神の領域だ。

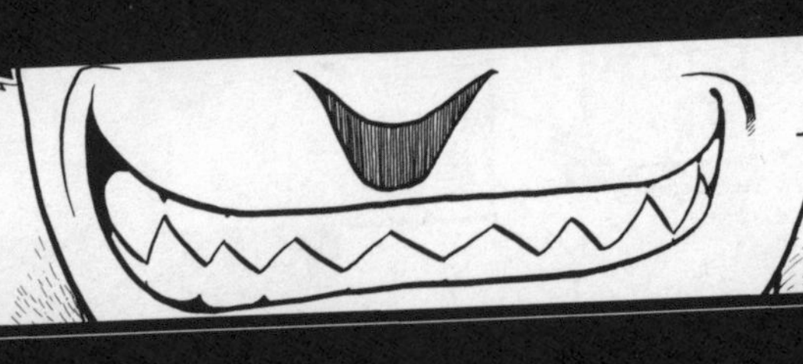

戦慄く人間達、

ここから

鋼の錬金術師
2004年3月発売予定!
乞うご期待!!

はがねのれんきんじゅつし
2004ねん3がつはつばいよてい!こうこきたい!!

ガンガンコミックス

鋼の錬金術師 6

2003年11月22日 初版
2005年7月15日 20刷

著 者　荒川 弘

発行人
田口浩司
発行所
株式会社スクウェア・エニックス
〒151-8544 東京都渋谷区代々木3-22-7 新宿文化クイントビル3階
〈内容についてのお問い合わせ〉 TEL 03(5333)0835
〈販売・営業に関するお問い合わせ〉 TEL 03(5333)0832
FAX 03(5352)6464

印刷所　図書印刷株式会社

ISBN4-7575-1047-0 C9979